中国画基础技法丛书·写意花鸟

牡丹

MUDAN

黄忠耿◎著

ZHONGGUOHUA JICHU JIFA CONGSHU·XIEYI HUANIAO

广西美术出版社

序

中国画艺术是中国传统文化的一个特殊的艺术样式和符号，它是中国传统文化及审美精神的载体，有着鲜明的艺术特色和强烈的视觉审美特征，是东方艺术的主要代表形式。中国画艺术随着中华文明的发展而发展，源远流长。虽然到了魏晋南北朝，才有较明显的形式特征，但其作为中华文明史的绘画形态，可上溯到人类文明的早期。隋唐以降，中国画艺术更是繁荣发展，成为与西方绘画并立的人类艺术发展的重要的绘画形式。中国画艺术强调“写意精神”，通过“应物象形”写心中之情怀，达“气韵生动”，表达精神意境的审美目的。其语言主要因素——笔与墨，在千变万化的表现中呈现出独特的视觉审美特点，笔墨“传神”而见精神。因此，掌握笔墨的变化，是学习中国画艺术的基本要求。

《芥子园画谱》是人们熟悉的学习中国画的入门指南，古代没有专门的艺术院校，只有师徒的传授和学习《芥子园画谱》。如今，艺术学院林立，但学习传统中国画，仍须从传统经典范本及《芥子园画谱》中的法则学习。因时代发展和中国画的发展，原有的范本已不太适合和满足人们的学习需求，所以，各类中国画的基础入门辅导书刊应运而生，但因为编者的艺术修养有限，质量参差不齐。

黄忠耿老师是岭南画派第二代代表画家黄独峰先生之子，从幼跟随其父习画，几十年如一日，研究中国画艺术，形成了自己的艺术风格并取得不俗的艺术成就。他长期在广西艺术学院任教，同时担任广西艺术学院成人教育学院副院长、教授，积累了丰富的教学经验。这套国画技法类教材，是他在自己艺术创作及教学实践中总结整理出来的经验，有较强的针对性和较直观易学的特点，特别是他撰著的《学一百通·写意花鸟画基础技法丛书》（《梅花》、《牡丹》、《鱼类》、《木本》、《禽鸟》、《藤本》共六册），更因多为他对中国画研究的心得之述，所以更为生动，深入浅出，易于学习。这套教材可作为学习中国画艺术的学生、爱好者一个很好的入门范本。现在，广西美术出版社出版黄忠耿老师这套丛书的修订本，因作者作为有较高艺术造诣的专家，而且编写内容以易懂易学、入门层次高的效果赢得读者的欢迎和好评，并在社会上产生了较广泛的影响。

一个好画家未必是一个好教师，因为创作和教人是两回事，但黄忠耿老师不但创作丰硕，还潜心教学，硕果累累。他同时把教育作为自己的执着事业，在市场大潮激荡的今天，这种淡泊名利的追求，可贵可敬！这种以传承中国画艺术为己任的担当和使命，一个知识分子的良知和品德昭然可见！衷心地祝贺黄忠耿老师著作再版，也期待着他有更多的作品奉献给广大读者。是为序。

谢 麟

2015年3月10日

（作者系广西美术家协会主席）

一、牡丹概论

牡丹是我国最负盛名的花卉，历来为国人喜欢，它的雍容华贵、色彩丰富被誉为“天上无双艳，人间第一香”。牡丹象征繁荣、富足、吉祥、幸福，成为很多画家和美术爱好者描绘的重要题材，以表达作者对美好事物的追求和愿望。

牡丹画法有工笔和写意两大类，本书介绍的是写意画法。写意侧重于写，也就是中国画的笔墨功夫，用笔墨的韵律来表达作者的思想感情，也就是意。写意画讲究形神兼备，但更注重概括和主观的画法。表现在画面上就是描绘对象的精神和作者的感受，也就是神。

我国种植牡丹有一千多年的历史，画牡丹的历史也有千年以上，由于历代画家的努力探索，形成了各种表现牡丹的方式方法和流派，但写意牡丹总结起来不外两大类型，一是点写法（没骨法），二是勾勒法（包括勾勒填色法）。书中将介绍一些常见的牡丹画法。

在表现牡丹的形态上各家各派在造型上都各有特点，这里说明了一个问题，也就是在牡丹造型上并非照搬自然，而是作者通过对牡丹的观察和写生后，对品种繁多、色彩丰富、形态各异的牡丹进行艺术加工和提炼，最后表达于笔下的是作者对牡丹的感受，也是作者审美观的体现，而不一定为某一品种的牡丹。

写意牡丹在用色上同样不是照搬自然，而是作者色彩修养的体现，作者可根据自己的体会去使用颜色，甚至可以主观地改变描绘对象的颜色，这也是中国画用色的一大特点，如黄色牡丹花其花心也是黄色。如用黄色画花心则觉得不明显，那么可改用其他颜色来画花心，以求有更好的画面效果。如画墨牡丹，就是以墨代色，完全用黑色来画牡丹。

在创作的时候，作者往往把自己的思想感情及对牡丹的感受抒发在画面上，因此常把花当人来画，也就是把花拟人化，这也是中国花鸟画表现方法上的一大特点。作者文学和艺术修养的高低会直接影响到作品的品位。

牡丹花实物照片

二、怎样学画牡丹

（一）牡丹画法

1. 牡丹结构解析图

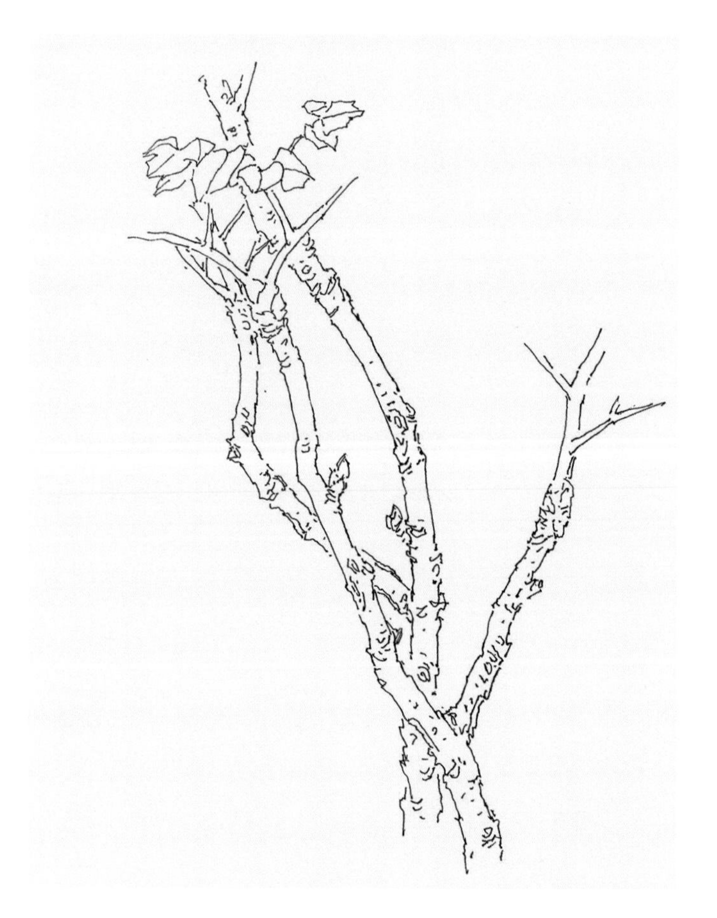

2. 牡丹花头画法

（1）插入法

步骤一　先用较淡的颜色画出牡丹花最前面的背面花瓣，此图先调淡白色，然后笔尖点淡曙红，笔尖朝下，画出有大小变化的花瓣（背面花瓣）。

步骤二　用原带色的笔点较浓曙红，画出第一层正面的花瓣，注意用重色挤出淡色花瓣的形状。

步骤三　继续画出其他层次的花瓣，为了层次较分明，笔尖可加点上胭脂，这样花瓣层次更分明。

步骤四　收拾画面，用较重胭脂画出花心凹下的部分，用白色加强背面花瓣的效果。

步骤五　用藤黄加白（浓色）点出雄蕊，用浓石绿点出雌蕊，用浓墨画出花托花萼。也可用色画花托花萼，如：用花青加藤黄调出嫩绿色，笔尖点曙红或胭脂来画。

（2）覆盖法

步骤一　用笔先点藤黄，笔尖再点朱磦画出有浓淡变化的色块作为牡丹花中间部分的底色。

步骤二　原带色的笔点上浓白色，画出牡丹花中间一圈花瓣。

步骤三　画出花中心部分的小花瓣。

步骤四　继续用浓的白色画出外围的各层花瓣，用淡藤黄把白色花瓣衬托出来。

步骤五　用胭脂画出雄花蕊，用石绿点出雌花蕊，用浓墨画出花托花萼（亦可用色画花托花萼）。

（3）勾勒法

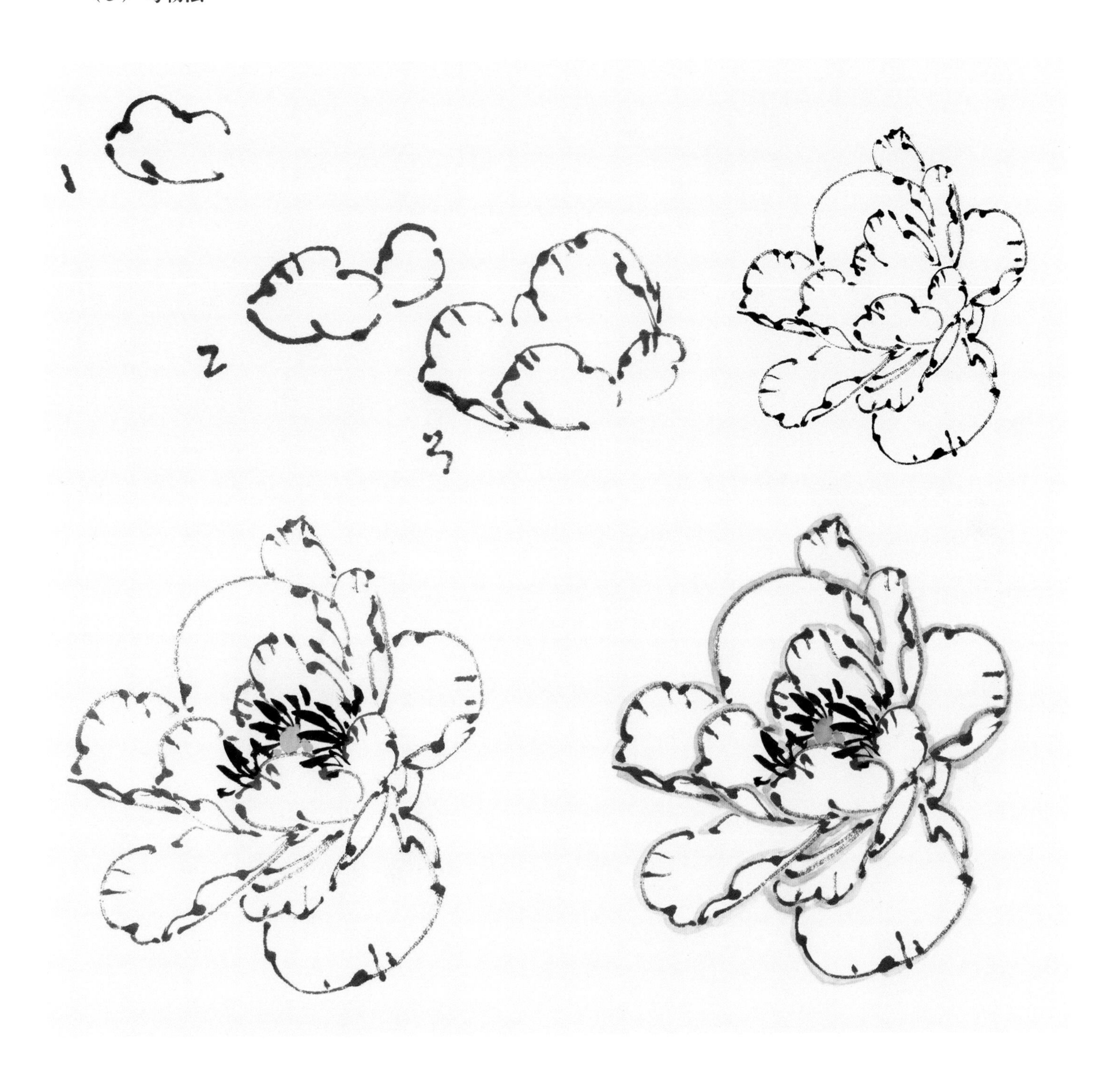

步骤一　用淡墨按步骤勾出牡丹花的形状。
步骤二　注意花瓣的大小和疏密变化。
步骤三　用浓墨点出雄蕊，用色点出雌蕊。
步骤四　用淡色衬托花瓣的周围。

（4）勾勒填色法

①用勾勒法先勾出牡丹花的形状。②填上所设想的牡丹颜色，如黄色，注意用色最好要有浓淡的变化。③点花蕊、花托等。说明：也可先用色打底，再勾画花瓣。（干勾、湿勾都可以）

湿勾法：先画底色，再用墨勾勒。

干勾法：先勾墨线，再上颜色。

没骨法：先画底色，再用白色勾画。

（5）勾点结合画法

①用墨

步骤一　用墨画出有浓淡变化、大小变化的花瓣（花中心部分花瓣）。

步骤二　用勾线的办法画出牡丹外围的花瓣，形成勾点结合的形式。

步骤三　用色或墨点出花蕊、花托等。

②用色

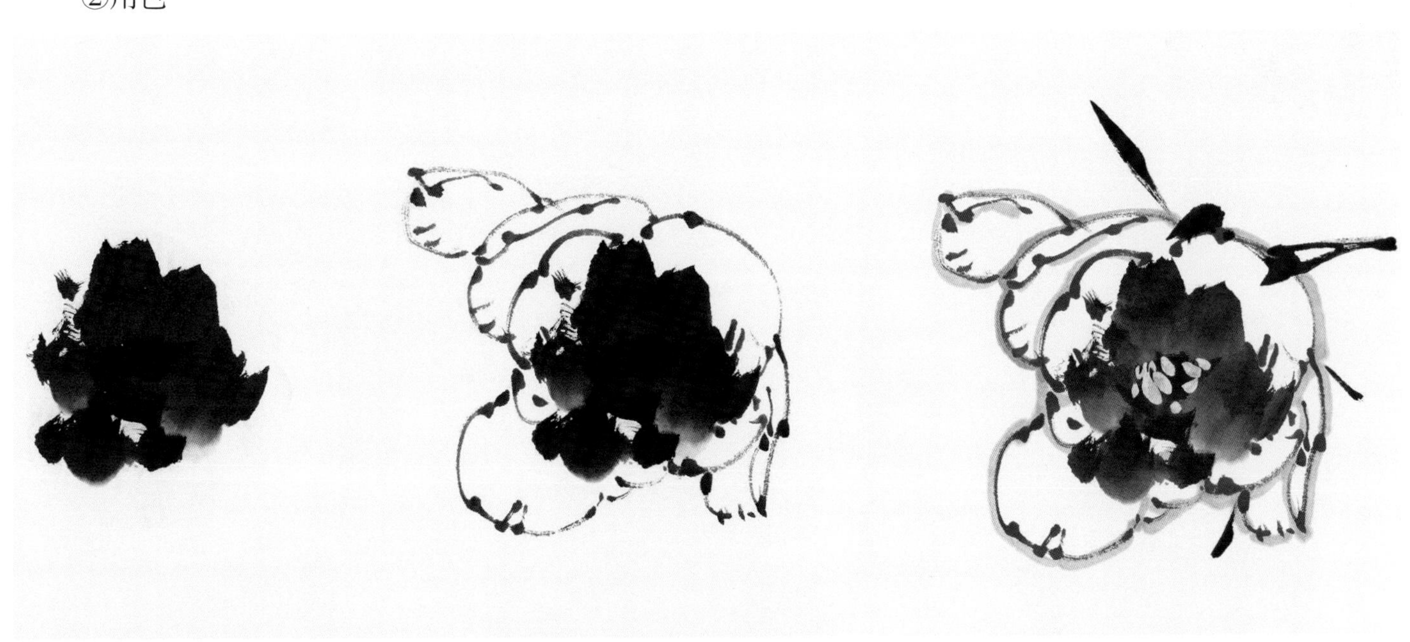

步骤一　画出花瓣的层次和花中心凹进去部分的效果，注意色彩的变化及花瓣层次。

步骤二　用线勾出牡丹花外围花瓣，注意花瓣形状、大小变化和线条疏密变化。

步骤三　用白色加藤黄点花蕊，用淡色衬托勾勒的花瓣。

说明：也可用淡色衬托花瓣外围，加强花的效果。

3. 墨牡丹画法

（1）先浓后淡法

步骤一　先调出淡墨，笔头点上浓墨，画出牡丹正面的花瓣，注意花瓣的大小长短变化。

步骤二　用有浓淡变化的淡墨画出背面的花瓣。

步骤三　用朱磦画出雄蕊，石绿画出雌蕊，浓墨画出花托等。作者可根据画面需要或者作者对色彩的理解，用其他颜色或墨来画花蕊。

（2）先淡后浓法

步骤一　先用淡墨画背面花瓣。

步骤二　用较重墨画出正面花瓣。

步骤三　用色或墨点花蕊等。

4. 各种形态的花头

（二）花蕊、花苞的画法

1.花蕊：藤黄调白色画雄蕊，以三五点一组为宜；中间用石绿点雌蕊，随意三四点为一组便可。

说明：中国画可以根据创作的需要主观的改变描绘对象的颜色，如黄色牡丹不宜用黄色来画花心（花心可以用朱磦、赭石、胭脂等来画）。

2.各种形态的花苞

（三）花托的画法

步骤一　用墨点出花托，注意用笔和墨色变化。
步骤二　画出花萼、花枝等。
步骤三　先点淡色再点浓色画出花苞。

步骤　除用墨画之外，也可用色来画花托、花枝等。用花青加藤黄调出嫩绿色，笔尖点曙红来画。
步骤二　画出花萼、花枝等。
步骤三　先点淡色再点浓色画出花苞。

（四）叶子的画法

步骤一　牡丹叶为三个尖，先蘸淡墨后蘸较浓墨画叶中间大尖部分。
步骤二　如不够大可补一笔（在浓边）。
步骤三　左右各加一笔画出牡丹叶的三个尖。
步骤四　牡丹叶子要一组一组处理，画出由几片叶子组成的较前面的一组，注意叶子之间既要有变化，又要和谐。每片叶子都应有墨色变化，但一组叶子的墨色整体要统一。
步骤五　再用较淡的墨色画出第二组叶子，仍要注意墨色变化。
步骤六　用墨勾出叶脉，较浓叶子用浓墨勾，较淡叶子可用淡墨勾，勾叶脉时可等叶片墨色要干未干的时候勾。如要追求墨色淋漓的效果，可以趁湿勾。

一般写意勾叶脉有两大类型，实勾、虚勾。画叶子既可用墨，也可用色。

① 实勾勾出叶子轮廓。

② 虚勾勾叶脉。

③ 画叶子既可用墨，也可用色，用色画叶子与用墨画叶大同小异，先调好色，笔尖上可点墨，画出叶子形状后勾叶脉便可。

④ 嫩叶和芽的画法：用藤黄加花青调出嫩绿色，笔尖上点曙红画出嫩叶及芽形状（注意色彩的淡浓变化及用笔的力度），用胭脂勾出叶脉，勾叶脉注意用笔。

（五）枝干画法

牡丹枝条分两部分：下部为木质的老枝，上部为芽苞抽出的嫩枝，老枝画法主要分为没骨法和勾勒法两大类型。

1. 没骨法

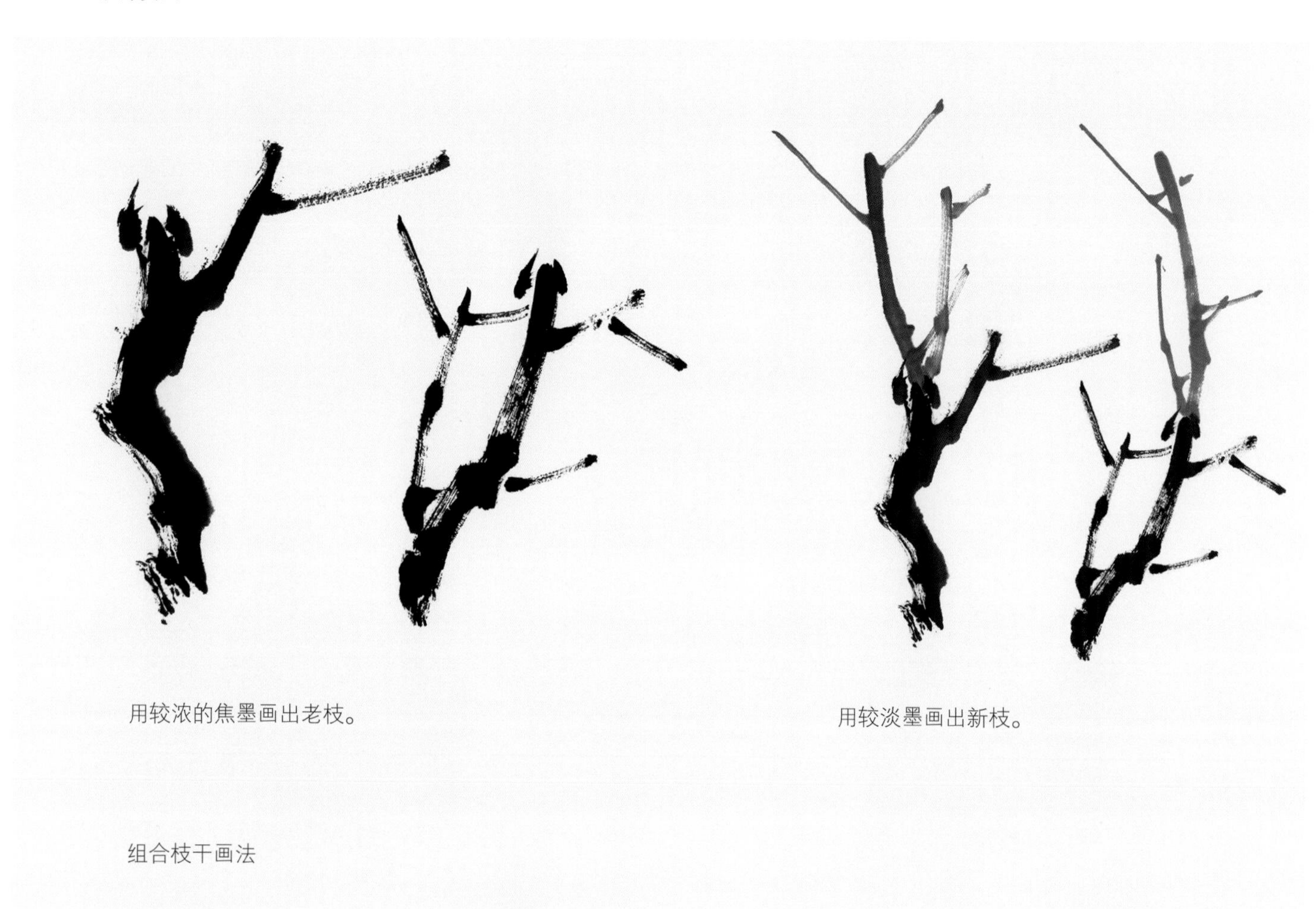

用较浓的焦墨画出老枝。

用较淡墨画出新枝。

组合枝干画法

2. 勾勒法

步骤一　用焦墨勾出老枝。
步骤二　用淡墨画出没骨新枝。
步骤三　勾勒法举例

组合枝干画法

（六）花、叶、枝、干组合

步骤一　先画花：要求花有大小、角度、方向及色彩上的变化。花与花之间要有疏密变化和感情上的联系。

步骤二　画叶：叶要一组一组地画，先画较浓的叶子，后画较淡的叶子，层层深入。

步骤三　勾叶脉：可用不同的墨色勾叶脉，浓墨勾浓叶，淡墨勾淡叶，这样可较明显地分出前后叶子的层次，勾叶脉的方法要前后一致。

步骤四　画枝干：用较淡墨画新枝，用焦墨画老枝，注意枝干的疏密变化和互相穿插。

步骤五　用藤黄加花青调出嫩绿色，笔尖点曙红，画嫩叶和嫩芽，并按构图的需要画出花苞，再用淡绿色对画面进行必要的渲染和画出最后层次的叶子（不必勾叶脉），最后点花心，题款盖章，作品完成。

（七）临摹、默写

1.临摹

临摹是学习中国画的重要途径，通过临摹学习传统的绘画技法和学习别人处理画面的方式方法及经验。在学画的开始阶段，通过临摹学习用笔、用墨、用色的方法，学习构图的方法，通过大量的临摹，提高自身的造型能力和绘画技巧，当有了一定绘画能力之后，继续临摹一些好的作品，可以学习吸收各家的长处，开阔视野，丰富自己，并不断提高自己的能力。

临摹之前，首先要选择好的临本，当然能有原作更好，比较清楚的印刷品也可以，然后要先读画，也就是先仔细分析研究你所选择的临本，分析作品的内容和意境，分析其用笔、用墨、用色的方法，造型的特点，如何构图等，然后才着手临摹。可根据自己的需要整幅临摹或局部临摹，如对造型没把握可先用炭条起稿，临摹时应力求与临本神似和形似，开始不易做得到，只要不断研究学习，自然能慢慢体会和掌握绘画的规律和方法，达到提高自己绘画能力的目的。

2.默写

在学画过程中，默写是一个能较快提高绘画能力的行之有效的好方法，这个方法，一方面能较快掌握绘画的技巧，同时能锻炼自己的记忆力。方法是：一、临摹完别人作品后，默临该临本。二、在别处看到好的作品，又不能直接拿来学习时，可用心记忆，回来后默写出来。三、在自然中观察到自己想描绘的对象，除了写生之外，也可凭记忆回来默写……

洛阳三月　21.5 cm×60 cm

（八）写生、创作

1.写生

写生是收集素材最重要的手段，牡丹花的写生要注意以下两点：

（1）结构的写生。对牡丹各个部分，如花、花托、花蕊、枝干、叶等认真观察，并从不同角度进行写生，以加深对牡丹的了解，这也是收集素材的重要手段。

（2）对整株牡丹或一组牡丹的写生。先对牡丹进行观察，找出最美的角度对牡丹进行写生，可作为创作的依据，当然还可对写生的对象进行取舍，一幅好的写生稿也可以是一幅好的作品。写生时使用的工具不论，如铅笔、钢笔、毛笔等。

2.创作

首先是立意，把自己对牡丹的理解和牡丹准备表达的主题确定，根据收集的素材和学到的技法进行构思，并画出小构图，最好多画几个小构图进行对比，之后选定最满意的作为创作的草图，并确定画面的色调及表现方法，最后进入创作。

在创作过程中应不断地思考，找出自己在表现方法、构图等方面存在的问题，不断完善和提高自己的绘画能力，对自己的作品精益求精，一幅成功的作品往往是经过多次的修改而成的。

常见春风在抱中　27.5 cm×68 cm

三、范画与欣赏

黄忠耿　春色满园
20 cm × 138 cm

黄忠耿　春艳　26.5 cm × 69.5 cm

黄忠耿　闲　27 cm × 69 cm

历代牡丹诗词选

玉楼春（题上林后亭）（宋·欧阳修）

常忆洛阳风景媚，烟暖风和添酒味。
莺啼宴席似留人，花出墙头如有意。
别来已隔千山翠，望断危楼斜日坠。
关心只为牡丹红，一片春愁来梦里。

黄忠耿　夜归图　27.5 cm×68 cm

黄忠耿　天香图　21.5 cm×60 cm

历代牡丹诗词选

清平乐（唐·李白）

名花倾国两相欢，常得君王带笑看。
解释春风无限恨，沉香亭北倚阑干。

黄忠耿　春暖
69 cm×55 cm

黄忠耿　争艳
69 cm × 55 cm

黄忠耿　墨趣
69 cm × 69 cm

历代牡丹诗词选

晚春送牡丹（五代·李建勋）

携觞邀客绕朱栏，肠断残春送牡丹。
风雨数来留不得，离披将谢忍重看。
氛氲兰麝香初减，零落云霞色渐干。
借问少年能几许，不须推酒厌杯盘。

黄忠耿　早春
69 cm×72 cm

历代牡丹诗词选

惜牡丹花（唐·白居易）

惆怅阶前红牡丹，晚来唯有两枝残。
明朝风起应吹尽，夜惜衰红把火看。
寂寞萎红低向雨，离披破艳散随风。
晴明落地犹惆怅，何况飘零泥土中。

黄忠耿　夜色
53 cm×50 cm

历代牡丹诗词选

白牡丹（唐·白居易）

白花冷淡无有爱，亦占芳名道牡丹。
应似东宫白赞善，被人还唤作朝官。

黄忠耿　雨后
69 cm×69 cm

历代牡丹诗词选

赏牡丹一首（唐·刘禹锡）

庭前芍药妖无格，池上芙蕖净少情。
惟有牡丹真国色，花开时节动京城。

黄忠耿　常见春风在抱中
70 cm×138 cm

黄忠耿　春意
90 cm×42 cm

历代牡丹诗词选

牡丹（唐·韩琮）
桃时杏日不争浓，叶帐阴成始放红。
晓艳远分金掌露，暮香深惹玉堂风。
名移兰杜千年后，贵擅笙歌百醉中。
如梦如仙忽零落，暮霞何处绿屏空。

历代牡丹诗词选

牡丹（唐·徐凝）

何人不爱牡丹花，占断城中好物华。

疑是洛川神女作，千娇万态破朝霞。

黄忠耿　春曲

100 cm×53 cm

黄忠耿　晴
100 cm×53 cm

历代牡丹诗词选

题牡丹（五代·卢士衡）

万叶红绡翦尽春，丹青任写不如真。
风光九十无多日，维惜尊前折赠人。

黄忠耿　争艳
100 cm×53 cm

黄忠耿　花荫
70 cm×46 cm

黄忠耿　洛阳春色之一
138 cm × 35 cm

黄忠耿　洛阳春色之五
138 cm × 35 cm

历代牡丹诗词选

牡丹吟（宋·邵雍）

牡丹花品冠群芳，况是期间更有王。
四色变而成百色，百般颜色百般香。

黄忠耿　斗艳
100 cm × 53 cm

黄忠耿 洛阳春色之二
138 cm × 35 cm

黄忠耿 洛阳春色之四
138 cm × 35 cm

黄忠耿　洛阳春色之三
138 cm × 35 cm

黄忠耿　洛阳春色之六
138 cm × 35 cm

历代牡丹诗词选

牡丹（唐·张又新）

牡丹一朵值千金，将谓从来色最深。

今日满栏开似雪，一生辜负看花心。

黄忠耿　清供图

100 cm×53 cm

历代牡丹诗词选

浑侍中宅牡丹（唐·刘禹锡）

径尺千余朵，人间有此花。
今朝见颜色，更不向诸家。

黄忠耿　春意
100 cm×53 cm

历代牡丹诗词选

白牡丹（唐·韦庄）

闺中莫妒新妆妇，陌上须惭傅粉郎。
昨夜月明浑似水，入门唯觉一庭香。

黄忠耿　春雨
100 cm×53 cm

黄独峰　青龙卧墨池
44 cm×60 cm　1981年

历代牡丹诗词选

红牡丹（唐·王维）

绿艳闲且静，红衣浅复深。
花心愁欲断，春色岂知心。

历代牡丹诗词选

惜牡丹花（唐·白居易）

寂寞萎红低向南，离披破艳散随风。
晴明落地犹惆怅，何况飘零泥土中。

黄独峰　姹紫嫣红春锦绣
180 cm×97 cm　1979年

历代牡丹诗词选

白牡丹（唐·裴潾）

长安豪贵惜春残，争赏先开紫牡丹。
别有玉杯承露冷，无有起就月中看。

黄独峰　牡丹玉兰
185 cm×95 cm　1986年